Collection folio cadet

ISBN : 2-07-031054-X
© Editions Gallimard 1984.
Numéro d'édition : 33725.
Dépôt légal : Octobre 1984.
Imprimé en Italie.

YVON MAUFFRET

Au revoir Fénimore

Illustré par
ANNE ROMBY

Gallimard

Peggy Mac Lane avait onze ans, deux nattes de filasse au sommet du crâne, des yeux violets comme les bruyères de la montagne, des taches de rousseur autour d'un nez en trompette et des mollets bien ronds.

Elle habitait tout là-haut, en Écosse. Contrairement à ce que l'on croit souvent, il n'y a pas que des lacs dans ce pays : on y trouve des plaines, des montagnes, des rivières, et même des villes. Mais là où demeurait Peggy, il y avait vraiment un lac, ou plutôt un loch, une très grande étendue d'eau, très profonde, encaissée entre des montagnes, et qui communiquait avec l'océan Atlantique par un étroit chenal. On l'appelait le Loch Eliott. Peggy n'avait jamais rien vu de plus beau.

En hiver il était mauve sombre, presque noir. Au printemps, il devenait gris-rose, comme le ventre d'une truite. En été, il était bleu ou vert selon les heures, et quelquefois les deux en même temps.

Lorsqu'arrivait l'automne, le loch se teintait d'ocre, de roux et de toutes les couleurs intermédiaires, selon les nuages dans le ciel, selon les marées et les vents. Peggy qui le connaissait pourtant bien ne l'avait jamais vu exactement pareil, d'un jour à l'autre, parfois même d'une heure à l'autre : c'était un spectacle toujours changeant, et dont elle ne se lassait pas.

Peggy gardait les moutons ; en fait les moutons se gardaient presque tout seuls. L'herbe était abondante et les bêtes y paissaient tranquilles, sous la surveillance de « Bag-Pipe », le chien... Si bien que Peggy pouvait regarder son cher loch en toute tranquillité, aussi longtemps qu'elle le désirait : elle n'en perdait pas une

bouchée ! Il y avait le ballet des libellules bleues au-dessus des joncs, le bond d'un saumon en chasse, le vol rasant d'une hirondelle... Ou bien la course des nuages dans le ciel, et leur reflet sur l'eau tranquille, ou les ronds que faisaient les gouttes de pluie au début d'une ondée ! Lorsqu'elle entendait la corne qui lui disait de revenir à la maison, Peggy était toujours très surprise et ne pouvait s'empêcher de dire : « Ce n'est pas possible ! déjà ! » tellement le temps passait vite.

Donc, ce jour-là, comme tous les jours, Peggy était assise sur un bloc de pierre grise, juste devant le loch. Les moutons broutaient. Bag-Pipe, le museau entre les pattes, les regardait faire.

Ce jour là – on était en été – la couleur de l'eau était bleue avec des reflets d'argent. Peggy suivait, non sans angoisse, les évolutions d'une abeille en espérant qu'aucun oiseau gobeur d'insectes ne passerait par là. Ouf ! L'abeille saine et sauve venait de disparaître parmi les fleurs qui s'épanouissaient le long des rives et Peggy allait se mettre à la recherche d'un autre spectacle.

Lorsque...
Lorsque !
Elle le vit.

S'il s'était agi de l'apparition d'un quelconque poisson – même d'un gros –, du vol d'un martin-pêcheur ou de celui d'un aigle, du passage d'un bateau, de la baignade d'un cerf ou d'un sanglier, cela aurait été facile à raconter. Mais c'était toute autre chose ! Et tellement inattendu, tellement extraordinaire que

Peggy Mac Lane en demeura la bouche grande ouverte, que Bag-Pipe s'enfuit la queue entre les pattes et que les moutons s'égaillèrent vers la montagne.

Surgissant de l'onde bleue venait d'apparaître une tête énorme ! Pour en donner une idée, elle devait bien être cent fois plus grande qu'une tête de cheval, à laquelle d'ailleurs elle ressemblait un peu... Une tête d'hippocampe, voilà ! mais gigantesque.

Elle était à dix mètres, pas plus, de l'endroit où se trouvait Peggy. D'abord pétrifiée de terreur, elle allait à son tour essayer de fuir, lorsque, dans son esprit, une voix résonna.

– N'aie pas peur, je t'en supplie, n'aie pas peur ! Il n'y a aucune raison !

– Je rêve, se dit Peggy... J'ai des visions, et j'entends des voix.

– Mais non ! Mais non ! reprit le mystérieux interlocuteur. Tu ne rêves pas... Je te parle réellement....

– Mais qui ? Mais qui ?

– Ben, moi !

La terrifiante tête était toujours là, mais Peggy en était certaine, ses lèvres ne remuaient pas !

– Je te parle sans te parler ! Je communique avec toi par télépathie !

Peggy n'avait jamais entendu ce mot-là !

– Télépathie, reprit la voix, cela signifie « Communication entre deux esprits » : le tien, et le mien !

– C'est la première fois que j'entends l'esprit d'un dragon me parler, dit Peggy...

– Ttttt ! Je ne suis pas un dragon !

– Qui êtes-vous alors ?

– Les hommes n'ont pas eu l'occasion de me donner de nom...

– Ah bon !

– Je m'appelle « KSSAKSSEKS-SIKKSSOSSUKSSYKJZH »

– Je n'arriverai jamais à m'en souvenir...

Chose étonnante ! La tête monstrueuse était toujours là ; elle s'était même légèrement rapprochée, et Peggy Mac Lane n'avait plus peur... Au contraire elle se sentait de plus en plus curieuse, excitée par l'inimaginable événement.

– Si vous voulez, dit-elle, je vous appellerai Fénimore. C'était le nom de

appellerai Fénimore. C'était le nom de mon grand-père. Il est mort l'année dernière, et je l'aimais bien.

– Va pour Fénimore !

– Ce que je ne comprends pas, murmura Peggy, c'est la façon dont vous vous y prenez pour me parler.

– Tu es née une nuit de Noël, Peggy Mac Lane... Dans le temps, les gens savaient bien que les enfants nés cette nuit-là avaient eux seuls le pouvoir de converser avec les animaux... C'est pour ça que je te choisis... Et aussi parce que tu aimes le Loch !

– Vous habitez ici depuis longtemps ?

– Plutôt oui... Je me suis fait piéger à
la même époque que mon cousin du Loch
Ness !

Cette fois, Peggy Mac Lane commençait à y voir plus clair ! Elle avait souvent
entendu parler d'un monstre mystérieux,
vivant dans le Loch Ness, un lac voisin.
Tous les étés, lorsque les journalistes ne
savaient plus que raconter à leurs lec-
teurs, ils évoquaient sa présence
inquiétante ! Certains prétendaient
l'avoir vu de leurs yeux ; d'autres avaient
rencontré quelqu'un qui l'avait vu.
C'était d'ailleurs une très bonne affaire
pour les gens de là-bas, car les touristes
affluaient en nombre... Ils mangeaient du
saumon, buvaient du whisky et repar-
taient sans avoir rien aperçu, mais bien
contents tout de même !

Fénimore l'avait laissée réfléchir.

– Mon cousin du Loch Ness, – il a un nom encore plus compliqué que le mien, alors appelons – le Jonathan –, s'est trouvé enfermé à la même époque que moi...

– Il y a longtemps ?

– Oh ! je ne sais plus très bien : deux ou trois mille ans. Nous étions jeunes, alors !

– Vous avez bien dit, deux ou trois mille ans ?

– Ben oui ! Et je suis quant à moi dans la pleine force de l'âge.

– Vous avez dû en voir des choses !

– Écoute Peggy Mac Lane, ne m'interromps pas tout le temps, sinon je plonge !

– Oh non, Fénimore ! S'il vous plaît. Je serai muette comme une carpe !

Bag-Pipe avait fini par retrouver son sang-froid et rassemblé les moutons éparpillés. On était au milieu de l'après-midi ; le soleil d'août immobilisait toute chose.

Fénimore s'était rapproché encore un peu plus près de Peggy. Mais elle n'avait plus peur du tout. Il avait de si beaux yeux !

– Eh bien voilà ! commença le mystérieux animal, je suis né quelque part au milieu de l'océan, dans cette région que vous appelez mer des Sargasses...

— Je sais, dit Peggy ! C'est là que naissent les anguilles, je l'ai lu dans un livre !
— Peggy, tu as promis de garder le silence ! Peggy se mit le poing devant la bouche, pour bien montrer que dorénavant elle entendait bien ne plus intervenir.

— Il faut te dire, Petite, que nous pouvons à juste titre nous considérer comme les Rois des Mers, bien avant les baleines et les cachalots, bien plus que les calmars géants. Nous sommes les plus grands, les plus puissants, les plus malins aussi ! Peut-être t'étonneras-tu que les hommes n'aient jamais parlé de nous, eux qui pourtant sont de terribles touche-à-tout ?

Pour toute réponse, Peggy Mac Lane appuya encore plus fortement son poing sur ses dents blanches.

— C'est que, dit Fénimore, nous nous sommes arrangés pour ne jamais nous laisser surprendre... Aucun filet, aucun harpon, rien de ce que les hommes ont pu inventer n'est capable de nous nuire... Nous vivons au grand large, broutant les algues et les laminaires. Nous vivons paisiblement, et le plus souvent en famille, mais nul guetteur en tête de mât, nulle vigie, ne peut se vanter d'avoir aperçu nos ébats. Tu ne me demandes pas pourquoi ?

Peggy fit « Non » de la tête. Il commençait à l'énerver, Fénimore ! Il lui défendait de parler, et en même temps il n'arrêtait pas de lui poser des questions !

L'immense tête se dandinait, à une telle hauteur, qu'elle semblait être une montagne, surgie des eaux du Loch.

– Nous avons une sorte de sixième sens, qui nous permet d'éviter les surprises !... Et cependant, quelques marins perdus au plus lointain des mille mers, quelques capitaines baleiniers isolés sous les latitudes australes, ont cru parfois nous apercevoir... C'est ainsi qu'est née la légende du Serpent de Mer !

Peggy pointa un doigt minuscule en direction de Fénimore.

– Je peux parler ?

– Si tu veux !

C'était tout de même bizarre, ce dialogue à distance ! Les paroles de Fénimore lui parvenaient à l'esprit claires, nettes, avec un excellent accent écossais, et cependant les grosses, les énormes lèvres demeuraient parfaitement immobiles !

– Vous me dites que vous êtes fait pour courir les mers, comme un long-courrier, et je vous vois enfermé dans un lac... Je ne comprends pas très bien !

– Hélas Peggy Mac Lane, hélas !... c'est mon drame, ma tragédie, mon malheur perpétuel... Mais laisse-moi poursuivre ; j'ai décidé de rompre, en ta faveur, un silence que je gardais depuis des millénaires... Tu n'en es donc pas à quelques minutes près !

Le soleil commençait à tutoyer les montagnes mauves, derrière lesquelles il allait bientôt disparaître... très haut dans

le ciel, un faucon continuait sa chasse solitaire.

— Donc, je te disais que les hommes qui parfois ont cru nous apercevoir dans les endroits les plus reculés de la Mer nous ont appelés « Serpents de Mer ». Et pourtant nous n'avons rien à voir avec les reptiles, mais enfin, un observateur primitif peut s'y tromper... Regarde bien plutôt !

La tête de Fénimore se mit alors à se diriger vers le milieu du loch ; à sa grande stupéfaction, Peggy Mac Lane vit que cette tête était suivie d'un corps, et de quel corps !... Elle pensa tout d'abord aux chapelets de boudins que sa mère, Olivia Mac Lane, préparait de ses mains lorsque, à la maison, on tuait le cochon, mais bien vite elle chassa cette pensée, se rappelant à temps que Fénimore pouvait lire dans sa tête comme dans un livre ouvert !

Le corps de Fénimore était donc cylindrique, dénué de tout membre et démesurément long ! Peggy pensa aussi au tunnel sous la Manche, dont parlaient parfois les journaux.

— Formidable ! se dit Peggy.

En se déplaçant en surface, l'interminable tuyau formait comme des arceaux de croquet sur l'eau paisible du Loch... Mais un croquet pour géants... C'était proprement inimaginable, et Peggy en demeurait bouche bée... Enfin, Fénimore fit disparaître son corps dans les profondeurs de l'eau, et sa tête revint se planter devant la petite fille.

– Tu as vu ? dit-il, visiblement très content de lui.

– Vous êtes vraiment très grand !

Il balança sa grosse tête avec une apparente modestie.

– Très... immense ! Gigantesque !
Interminable ! Invraisemblable !

– Ça doit être bien pratique ; au
moins, comme ça, personne ne peut
essayer de vous manger...

– Certes, certes, Peggy Mac Lane... Et
cependant cette taille respectable est
cause de tous mes malheurs. Que ne suis-
je ablette ou goujon, sardinette ou petit
thon ! Je n'en serais pas là !

– Oh ! s'il vous plaît, Fénimore,
racontez-moi...

Visiblement, il en mourait d'envie,
mais il ne put s'empêcher de faire
quelques manières.

– Oh ! tu sais, ce n'est pas très intéres-
sant !

– Je vous en prie, Fénimore !

– Il allait enfin se décider, quand brus-

quement le timbre de sa voix se fit plus grave...

– Pas aujourd'hui, Petite ! Je sens l'approche d'un humain... Il se dirige vers nous ! Il faut que je disparaisse...

– Mais vous reviendrez !

– Je te le promets !

Il rentra précipitamment sa tête dans l'eau du loch... Pas un remous, pas une vaguelette. Quelques secondes plus tôt, il était là, imposant, omniprésent et voilà qu'il n'y avait plus rien. A se demander si Peggy n'avait pas rêvé !

– Eh bien, Peggy, qu'est-ce que tu fabriques ? Ça fait une heure que je sonne de la corne à m'en déchirer la poitrine... Tu ne vois pas que la nuit est tombée !

Peggy sursauta à l'apparition de son jeune frère Walter... C'est vrai que le soleil a disparu derrière les montagnes et qu'on ne distingue plus qu'à peine les moutons éparpillés.

– Toi, tu étais encore en train de rêver, dit Walter d'un ton sentencieux, tandis que Bag-Pipe s'affaire à rassembler le troupeau.

– Heu... Oui, c'est vrai. J'ai fait un drôle de rêve... Tellement drôle !

Peggy Mac Lane, êtes-vous bien sûre qu'il s'agissait d'un songe ?

Le lendemain, comme tous les jours, Peggy conduisit son troupeau jusqu'aux rives parfumées du Loch Eliott. Le temps s'était mis à l'orage et l'eau était de plomb. Ce type de temps, on le sait, convient particulièrement aux pêcheurs, et à peine Peggy avait-elle gagné son poste d'observation, près de la pierre grise, qu'apparurent deux vieux gentlemen, vêtus de tweed, harnachés de moulinets, de gaules, d'épuisettes, de boîtes à mouches, d'ombrelles pour le soleil et de parapluies pour la pluie. « Ces deux-là vont s'installer pour la journée et ne repartiront pas avant le crépuscule », pensa-t-elle avec dépit. Elle ne se trompait pas ! Silencieux, impassibles, imperturbables, les deux vieux messieurs au teint de brique demeurèrent en place, surveillant leurs mouches d'un œil vague, et ne s'interrompant que pour se passer une flasque de whisky. Ils ne s'en allèrent qu'au coucher du soleil.

Bien évidemment, Fénimore n'avait pas daigné paraître !

Le lendemain, ce fut tout une ribambelle de jeunes collégiens qui arriva, coiffés de casquettes, revêtus de blazers, portant sur le cœur le blason de leur institution... Ils étaient surveillés par deux vieilles demoiselles au profil de chèvre qui tout de suite parurent bien débordées ! Les uns pourchassaient les grenouilles, d'autres organisaient un concours de ricochets. Un des plus petits tomba à l'eau et l'une des respectables misses dut retrousser ses cotillons pour aller le repêcher.

Ensuite ils pique-niquèrent, puis jouèrent au rugby, au badminton, au football, au hand-ball, au cricket et au croquet, bref à tous les jeux inventés au cours des âges par les collégiens britanniques, et Dieu sait s'ils sont nombreux.

Ils s'en allèrent tard dans la soirée ; Peggy Mac Lane remarqua que les deux Misses avaient l'air très très fatigué.

Fénimore, pas fou, s'était bien gardé de sortir la tête de l'eau. Peggy ne pouvait que lui donner raison.

Enfin, le troisième jour, le loch avait retrouvé son calme habituel, et Fénimore émergea de l'onde alors que Peggy finissait à peine de s'asseoir sur la pierre grise.

— Salut à toi, Peggy Mac Lane !

— Chic, pensa Peggy. Je n'ai pas rêvé et la Télé... heu, la Télépathie, continue à bien fonctionner !

— Bonjour, Fénimore... Je suis bien contente de vous revoir... je me disais que peut-être vous ne viendriez pas, et j'en étais bien triste.

– Je t'avais promis de revenir ; je suis animal de parole !

Il éleva alors sa tête et durant quelques minutes inspecta l'horizon, dans toutes les directions.

– Bon, dit-il... les hommes sont loin, tout est calme, nous allons pouvoir bavarder tranquillement... Où en étions-nous restés la dernière fois ?

– A vos malheurs, dit Peggy.

La grosse tête dodelina, puis se pencha vers l'eau du loch, comme accablée d'avance, par ce qui allait suivre.

– Mes malheurs ! Oui c'est cela. Si tu savais, ma pauvre Peggy, si tu savais !

Peggy Mac Lane, ne put retenir une petite pensée d'agacement.

– Si vous ne me dites rien, Fénimore, il est bien évident que je ne saurai rien !

– J'y arrive ! J'y arrive.

Dans la tête de Peggy il y eut comme une tornade qui se déchaîna, l'espace d'un instant. Elle comprit que c'était un soupir de Fénimore !

— Donc, commença-t-il il y a de cela quelque deux mille ans, peut-être un peu moins, peut-être un peu plus, je vivais heureux en compagnie des miens, dans les grandes prairies de laminaires qui entourent l'île Tristan d'Acunha —. Enfin c'est ainsi que les hommes l'appellent car, pour la désigner, nous disposons dans notre langue d'un mot infiniment plus musical...

— Et c'est comment ?

— Grumpfhklywjezhut !

— Bon, dit Peggy, il vaut mieux continuer de l'appeler Tristan d'Acunha. Et elle se trouve où cette île, s'il vous plaît ?

— C'est un archipel complètement perdu dans l'Atlantique Sud. Mais s'il te plaît, Peggy Mac Lane, ne m'interromps pas toutes les secondes ; sans cela nous n'en verrons jamais le bout !

— C'est juré. Donc, vous viviez avec les vôtres du côté de Tristan d'Acunha !

— Et nous y étions parfaitement heureux... De la nourriture en abondance, de bonnes grosses tempêtes qui sans arrêt nous caressaient l'échine. Les

hommes ne s'étaient pas encore mis dans l'idée de découvrir le monde et nous étions tranquilles ! J'étais jeune à l'époque, quelques siècles à peine, pas encore tout à fait sorti de l'enfance ! Ma taille n'était pas celle de maintenant : je devais mesurer 50 mètres, et encore ! Bref, je savourais un bonheur paisible, entouré de parents et d'amis. Mon préféré était Jonathan. Nous étions cousins germains et quasiment du même âge : Jonathan avait l'esprit d'aventure et souvent il m'entraînait au loin. Tu ne me demandes pas où ?

— Écoutez Fénimore, il faudrait savoir si je dois parler ou garder le silence !

— Un peu des deux, chère Peggy !

– Bon, alors où ?

– Où m'entraînait-il ? Excellente question, chère petite ! Eh bien partout, du Pôle Nord à l'Équateur, des Tropiques à l'Antarctique ! Partout où il y avait assez d'eau pour que nous puissions passer. Oh ! j'en ai vu des choses, Peggy Mac Lane ! J'ai assisté à l'éclosion d'îles volcaniques, à la dérive des continents... J'ai connu des espèces animales qui ont disparu depuis... J'ai connu... Mais je m'écarte de mon sujet. Je te raconterai tout cela une autre fois !

– C'est comme vous voulez, dit Peggy.

– Donc, ce jour-là, mon cousin me dit : « Tu viens KSSAKSSEKSSIKKOSSUKS-SYKJZH, on va faire un tour. D'accord, je lui réponds ; et nous voilà partis. Ce n'est pas pour nous vanter, mais nous possédions une bonne pointe de vitesse, et il ne nous fallut guère de temps pour parcourir les milliers de milles qui séparent GRUMPFHKLYWJEZHUT, enfin Tristan d'Acunha, des côtes écossaises...

– Parce que vous aviez décidé de visiter mon pays ?

– C'est tout à fait par hasard que nous sommes arrivés sur vos côtes. Nous y avons découvert des prairies de laminaires très comestibles. Nous nous sommes sustentés.

– Vous quoi ?

– Sustentés. Il faudra enrichir ton vocabulaire, ma chère Peggy ! Sustenter, du latin *sustentare*, signifie exactement : «Nourrir, entretenir les forces par les aliments. »

– Donc, vous vous remplissez le ventre, traduit Peggy. Et ensuite ?

– Ensuite... Eh bien, Jonathan et moi-même nous nous accordons une petite sieste de quelques jours... Oui, je sais, tu vas me dire que c'est beaucoup, Peggy Mac Lane, mais songe à l'immensité de nos corps, et accorde-nous que nous ne pouvons rien faire exactement comme tout le monde !

– Ensuite ?

– Heu... Ensuite... Bien reposés, notre humeur vagabonde reprend le dessus. Nous vaquons, nous vaquons... Nous nageons le long de vos falaises, de vos plages, de vos grèves. Nous sommes jeunes, libres ! Et attention, Peggy Mac Lane, le drame approche, il arrive. Le voici !

– Il n'y a pas à dire, Fénimore, constate Peggy, vous savez raconter les histoires !

– C'est un don naturel chez moi, ma chère enfant. Donc, Jonathan et moi-même folâtrons de conserve, nous amusant à nous poursuivre, à nous mordiller la queue, quand tout à coup...

– Je sens qu'on y arrive, dit Peggy.

– Tout à coup, Jonathan avise, entre deux hautes falaises, une sorte de canal qui s'enfonce au milieu des terres. « On y va ! » me dit-il. « Chiche ! »... Nous empruntons donc le chenal, sans diffi-

culté aucune, et nous débouchons dans un site enchanteur !... Un immense lac, un loch ainsi que vous dites, entouré de hautes montagnes roses et violettes, ou viennent s'abreuver biches et chevreuils, où sautillent par milliers des saumons et des truites... Comble de raffinement, les fonds de ce loch sont tapissés d'une épaisse couche d'algues vertes dont nous aimons nous régaler entre deux ventrées de laminaires.

– Le Paradis, quoi !

– Eh oui ! Peggy Mac Lane. En vérité, le Paradis... Sans être gourmands, nous sommes gourmets. Nous nous mettons donc en devoir de brouter, de brouter encore, notre panse se remplit. Ensuite, nous faisons lentement le tour du Loch, saluant poliment les habitants des lieux...

Et puis Jonathan se met à bâiller. Je l'imite.

— La sieste ne va pas tarder, murmure Peggy.

— Exactement ! Nous nous installons à notre aise, Jonathan et moi, chacun à une extrémité de l'immense loch. Le sommeil nous gagne. Nous fermons les yeux...

— Et vous dormez ?

— Profondément... Les heures passent, les journées. Quand tout à coup ! Oh ! Peggy Mac Lane, je pourrai vivre encore des milliers d'années, jamais je n'oublierai cet instant ! Tout à coup, je me réveille en sursaut. C'est horrible ! Autour de moi tout tremble, les collines et les montagnes, l'eau du lac semble bouillir tellement elle est agitée. Que se passe-t-il ?

— Un tremblement de terre ?

— Oui, exactement, un tremblement de terre ! Un terrible séisme qui semble vouloir tout mettre à bas. Autour de moi, les roches pleuvent, j'en reçois même une sur le bout de la queue. Jonathan a disparu dans la tourmente... D'affreuses minutes s'écoulent ainsi, où je ne peux que subir les événements, et puis lentement, très lentement les secousses s'espacent, les eaux du lac s'apaisent. Puis le calme revient...

— Ouf ! dit Peggy.

— Ouf ! Ouf ! C'est vite dit... Le plus terrible reste encore à venir.

— Un autre tremblement de terre ?

— Non. Mais lorsque enfin je puis sortir la tête des eaux troublées... Oh, je n'en crois pas mes yeux ! L'immense lac s'est séparé en deux... Entre l'endroit où je me reposais, et celui où se trouvait Jonathan, une chaîne de montagnes s'est élevée, nous séparant à jamais l'un de l'autre...

— Mince, alors !

— Attends, ce n'est pas tout. Lorsque, remis tant bien que mal de mes émotions, je veux fuir cette souricière, je m'aperçois que la route de l'océan est barrée... Le seuil rocheux s'est élevé de plusieurs dizaines de mètres et je ne peux plus passer !

— C'est tragique !

— Nous sommes des animaux très puissants, Peggy Mac Lane ! Les plus puissants du monde, mais nous ne disposons ni de bras ni de jambes... Ah ! Peggy, ma pauvre tête ! Je l'ai employée comme une massue, puis comme un levier contre ces maudites roches... J'en ai eu des

migraines pendant cinq cents ans. En pure perte ! Il m'a bien fallu admettre l'évidence : je suis enfermé ici pour des millénaires, et peut-être jusqu'à la fin du monde.

– Ce qu'il vous faudrait, Fénimore, c'est un nouveau tremblement de terre !

– Oui, évidemment, j'y ai pensé... Si nous étions au Guatemala ou en Chine, ou encore en Turquie, je pourrais conserver quelque espoir : la Terre bouge là-bas de temps en temps. Mais ici, en Écosse, rien... jamais rien... C'est tranquille, désespérément tranquille ! Jusqu'à la fin des temps.

– Vous avez dû avoir des moments de cafard ?

– Ça, tu peux le dire. Moi qui étais habitué à sillonner les sept océans, les mille mers, je me voyais enfermé dans une cuvette !

– Mon Loch, ce n'est pas une cuvette !

– Pour toi, Peggy, non bien sûr. Mais songe à ma taille... trois petits coups de queue, et je me heurte à une rive. Trois autres, et je me cogne à une berge. Moi qui étais un coureur de mer, il m'a fallu apprendre l'immobilité ! J'ai cru devenir fou !

– Et pour la nourriture ?

– De ce côté, les choses ne vont pas trop mal. Comme je ne me dépense pas, je n'ai plus guère d'appétit, et les algues poussent au fond du Loch Eliott à une cadence suffisante !

– Si vous voulez, j'irai vous couper des laminaires sur la côte océane.

– Merci, chère enfant de cette délicate attention, mais tu sais il m'en faudrait tellement que tu ne saurais y parvenir !

Les heures passaient, tranquilles. Les moutons en ordre de bataille, broutaient l'herbe savoureuse des bords du loch, Bag-Pipe dormait, entrouvrant un œil de temps à autre pour voir si son troupeau était sage. D'une musette de toile, Peggy Mac Lane sortit son déjeuner : une sorte de porridge tellement consistant qu'une cuiller de bois y tenait toute droite, un hareng fumé, quelques poires...

– Excusez-moi, Fénimore, dit-elle, mais de parler laminaire, cela m'a donné faim !

– Tu es tout excusée, Peggy !

– Vous pouvez continuer à me raconter votre vie... Comme j'aurai la bouche pleine, je ne pourrai pas vous interrompre, même si j'en ai envie !

Fénimore se râcla la gorge, ce qui déclencha une nouvelle tempête dans la tête de Peggy, et reprit le fil de son histoire.

– Ainsi donc, reprit-il, non sans une certaine grandiloquence, j'étais reclus à perpétuité dans cette mare aux canards. Je mis des siècles à l'admettre. Je ne m'étendrai pas sur mes états d'âme, chère petite... Ils étaient moroses, très moroses. Et puis, je me suis résigné... J'ai décidé de consacrer ma captivité à la Philosophie et à la Science... « Qui sommes-nous ? D'où venons-nous ? Où allons-nous ? » Trois petites questions de rien du tout, Peggy Mac Lane, mais qui m'occupent l'esprit depuis des centaines d'années. Je ne prétends pas avoir résolu le mystère de la vie, mais je dois reconnaître — en toute modestie — que j'ai énormément progressé sur le chemin de la connaissance et que le système auquel j'ai donné mon nom, le système KSSAKSSEKSSIKS-SOKSSUKSSYKJZH, vaut amplement tout ce que les hommes ont inventé !

Peggy, le ventre bien calé par le porridge maternel, finissait de croquer sa dernière poire.

— Et Jonathan, dit-elle. Vous avez de ses nouvelles ?

— Je sais qu'il est là, dans son Loch Ness, et qu'il est vivant... Mes moyens télépathiques me l'on dit. Mais nous sommes séparés par les montagnes, et nous ne pouvons pas communiquer. Il m'arrive de le regretter...

— Si vous vouliez, dit Peggy, je pourrais peut-être aller lui souhaiter le bonjour de votre part ?

— Je te remercie, Peggy Mac Lane, mais Jonathan ne te connaît pas. Il ne sait pas que je t'ai choisie pour amie : il ne se montrera donc pas à toi !

— Tant pis, dit Peggy.

L'après-midi, ce fut au tour de Peggy de raconter sa vie : elle parla de son Père qui était un des meilleurs joueurs de cornemuse du Comté, de son frère Walter, qui travaillait très bien à l'école, de son grand-père Fénimore, mort presque centenaire qui savait toutes les histoires, de la robe aux couleurs de son clan que sa mère était en train de lui coudre. Fénimore l'écouta avec beaucoup de patience, et Peggy fut toute surprise quand la corne de Walter résonna au loin...

Fénimore disparut presque aussitôt, non sans avoir promis de revenir. Peggy rentra son troupeau, avec au cœur cette joie très particulière que l'on éprouve, lorsque l'on vient de découvrir un véritable ami.

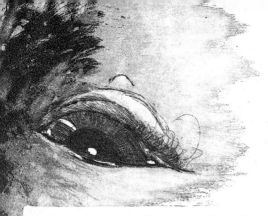

Jusqu'alors, Peggy Mac Lane avait vécu en solitaire. Oh ! certes il y avait sa famille, ses parents qu'elle aimait beaucoup, son frère Walter avec qui elle se disputait, non sans plaisir, mais enfin, du lever du soleil à son coucher, elle ne voyait en général personne, exception faite de ses moutons et de « Bag Pipe », chien plutôt taciturne...

La présence de Fénimore changea tout cela.

Elle avait pris l'habitude de le retrouver presque chaque jour. En général, elle avait à peine le temps de s'asseoir sur la pierre grise qu'il était déjà là, immense et débonnaire... Peu à peu, ils avaient appris à mieux se connaître, avec leurs qualités et leurs défauts respectifs : Peggy reprochait à Jonathan une légère vanité (mais quand on est aussi grand, comment ne pas en tirer fierté !). Quant à Fénimore, il trouvait que Peggy Mac Lane

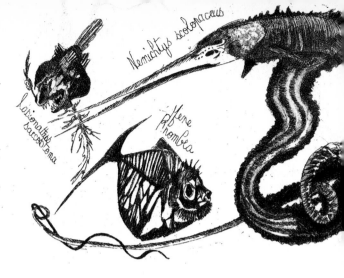

Nemichtys scolopaceus

Sabienativs sarcodema

Mene prenombra

avait tendance à être un peu irrespec-
tueuse, pas toujours suffisamment
convaincue de la chance extrême qu'elle
avait, elle, minuscule créature, de connaître un être tel que lui... Mais au
demeurant, ils s'estimaient beaucoup l'un
l'autre et avaient grand plaisir à se
retrouver.

Elle en apprit des choses, Peggy Mac
Lane, au cours de cet extraordinaire été !
Fénimore était doué d'une prodigieuse
mémoire, et il pouvait raconter des heures
durant sa rencontre avec un grand cacha-
lot sous les glaces du pôle, son combat
avec une armée de calmars géants du côté
des Kerguelen... Il disait le bleu des mers
de Chine, le vert des mers australes, il
décrivait des poissons inconnus, des cités

44

merveilleuses enfouies au fond des océans. Peggy en restait bouche bée !

A ce rythme-là, le temps passait vite, et l'automne arriva sur le Loch Eliott sans que Peggy ait eu conscience de son approche. Elle qui d'habitude suivait avec une attention extrême les signes précurseurs des changements de saison, fut cette fois prise au dépourvu.

– Bientôt l'hiver, Fénimore, soupira-t-elle. Lorsque viendra la neige, je ne pourrai plus sortir les moutons ! J'irai à l'école, et je ne vous verrai plus.

– Le printemps reviendra vite, Peggy Mac Lane ! Il suffit d'un peu de patience !

Il en avait de bonnes, lui qui pouvait vivre plusieurs milliers d'années !

Avec l'automne, était revenu le temps

de la chasse. Cela faillit leur occasionner de sérieux ennuis. En effet, les montagnes qui entouraient le Loch étaient particulièrement giboyeuses : on y trouvait en abondance des perdrix rouges, des coqs de bruyères aux vives couleurs, des cerfs et des biches, des chevreuils, et d'innombrables troupeaux de lièvres et de lapins. La chasse se déroulait assez loin du Loch, dans les hauteurs, mais cela nuisait tout de même à leur tranquillité.

Et puis, il y avait Duncan Mac Ferlish !

Duncan était un vieux petit bonhomme, sec comme un hareng, éternellement vêtu d'un kilt aux couleurs de son clan, et qui avait deux titres de

gloire... Il était à la fois le plus grand buveur de whisky du comté et le meilleur braconnier à des dizaines de milles à la ronde. Haut comme trois pommes, souple comme une couleuvre, il avait l'art de passer inaperçu... Il se confondait aussi bien avec les bruyères qu'avec les roseaux, et les animaux les plus méfiants finissaient par oublier sa présence... Ce qui en général leur était fatal.

Ce jour-là, donc, comme tous les jours, Duncan s'était levé avant le jour, et accompagné de son fidèle chien bâtard, qu'il appelait, lui seul savait pourquoi, « Happy Birthday », il s'était mis en route pour gagner ses terrains de chasse. Mais,

passant près du Loch Eliott, comme il avait très soif, il déboucha un flacon de whisky et en lampa une, deux, cinq, peut-être dix gorgées... A la suite de quoi il s'endormit dans une touffe de genêts.

Quand il se réveilla, les heures avaient passé. Il s'étira, fit jouer ses articulations un peu rouillées, se releva... et faillit se retrouver illico le derrière par terre.

– By Jove ! s'exclama-t-il... J'ai bu encore plus que je pensais ! Il regarda une deuxième fois, après s'être frotté les yeux. Pas d'erreur possible : devant ses yeux, à trois cents mètres peut-être, il y avait la petite à Jérémie Mac Lane, assise sur une pierre, et elle était en grande conversation avec... avec quoi, au juste, Duncan Mac Ferlish eût été bien incapable de le dire ! Une sorte de tête de cheval, énorme, gigantesque, impensable, qui sortait des eaux du loch !

– My Lord ! murmura Duncan... en se pinçant très fort. J'ai déjà vu du gros gibier, mais comme celui-là, jamais !

Il fit trois pas en direction du loch, et instantanément l'immense tête disparut... Pour une fois, Fénimore, qui ne pensait qu'à l'histoire qu'il était en train de raconter à Peggy, s'était presque laissé surprendre.

Quand Duncan arriva à la hauteur de la petite fille, celle-ci tricotait sagement une chaussette, comme si de rien n'était.

– Peggy Mac Lane, dit Duncan... Pourriez-vous me dire qui était cette grosse anguille avec qui vous parliez ?

Peggy tourna vers Duncan des yeux parfaitement innocents.

– Une grosse anguille, Duncan Mac Ferlish... Mais que voulez-vous dire ?

– Écoutez, ma fille, on peut me faire beaucoup de reproches, mais assurément pas celui de ne pas y voir clair.

– Je n'ai jamais dit cela, Duncan Mac Ferlish !

– Alors, qui était cette sorte de cheval,
ou de dragon, ou de ce que vous voulez,
qui était là, devant vous, il n'y a pas deux
minutes...

Peggy hocha douloureusement la tête.

– Vous devez être très fatigué, Duncan
Mac Ferlish... N'auriez-vous pas mal à la
tête ?... Vous pouvez vous reposer ici un
moment, je veillerai sur vous.

– Je vais très bien, et je sais ce que j'ai
vu !

– Duncan Mac Ferlish, dit doucement
Peggy, je vous jure sur ce que j'ai de plus
sacré qu'il n'y avait ici ni cheval, ni dragon, ni anguille, ni aucun animal connu...
Êtes-vous convaincu ?

Et pour confirmer ses dires, elle étendit
solennellement la main droite en direction du vieil homme. D'ailleurs, elle ne

mentait pas. Fénimore était Fénimore, et rien d'autre.

Ulcéré, le vieux haussa les épaules et s'en alla, Happy Birthday sur ses talons. Trop ému pour pouvoir espérer chasser convenablement, il s'en retourna vers le village, où il s'empressa de raconter son histoire... qui fut mise sur le compte du whisky qu'il aimait tant boire.

– Je vous assure que c'est vrai ! Je l'ai vu, de mes yeux vu !

– Allons Duncan vous avez confondu Loch Eliott et Loch Ness !

– Il n'y a pas de mal à cela. Tout le monde peut se tromper...

– Laissons à nos voisins leur célébrité et gardons notre tranquillité...

– Tenez, Duncan, que diriez-vous d'un petit verre... C'est du bon, celui-ci. Trente ans de fût... De l'or en bouteilles... C'est mon bisaïeul, Esäu Mac Chivas, qui l'a fabriqué...

– Je ne dis pas non, murmura, vaincu, Duncan Mac Ferlish.

Nul ne reparla jamais de l'éventuel monstre du Loch Eliott.

Mais Fénimore et Peggy avaient eu chaud !

La neige tarda cette anné-là. Il fallut attendre la mi-novembre, ce qui est exceptionnel dans les Highlands. Peggy et Fénimore en profitèrent largement.

Puis l'hiver fut là, en une seule nuit... La neige tomba en abondance et Jérémie Mac Lane décida que les moutons resteraient à la bergerie jusqu'au retour du printemps.

– Et vous ma fille, dit-il, vous allez reprendre le chemin de l'école.

Il fallut bien obéir. Peggy se consolait en se disant que l'hiver ne serait pas éternel, et qu'au printemps elle retrouverait son ami. Tout de même le temps lui paraissait très long.

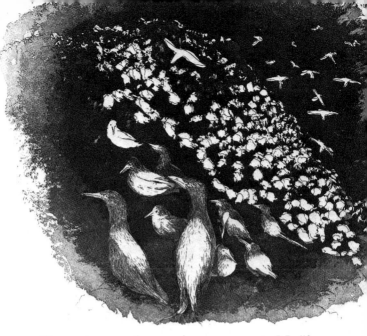

Et puis, quelques jours avant Noël, alors que Madame Mac Lane s'affairait à la confection de délicieux puddings, le temps parut s'arrêter... Pas un souffle d'air, une température anormalement douce pour la saison... Des oiseaux de mer par milliers, par dizaines de milliers envahirent les lacs et les étangs, les collines et les champs et se posèrent ensemble, tellement immobiles qu'on eût pu les prendre à la main. Le baromètre se mit à chuter vertigineusement et les vieux hochèrent la tête en disant qu'ils ne savaient pas quoi, mais qu'il se préparait quelque chose d'extraordinaire, qu'on n'avait sans doute pas vu depuis des générations.

Ce soir-là, Jérémie Mac Lane alla s'assurer, en compagnie de Walter, que la bergerie était hermétiquement close, que le poulailler n'offrait pas de prise au vent, puis il verrouilla la porte de la chaumière et l'encloua avec une solide planche de chêne. Ensuite, il sortit la bible familiale et d'une voix rauque il lut un passage de la Genèse.

« Et il arriva, au bout de sept jours que les eaux du déluge furent sur la terre. En l'an six cent de la vie de Noé, au second mois, au dix-septième jour, en ce jour-là toutes les sources du grand abîme éclatèrent, et les bondes des cieux s'ouvrirent... »

Ensuite la famille alla se coucher dans le plus grand silence : Bag-Pipe s'était réfugié sous le lit de Peggy, et, les poils hérissés, il tremblait en poussant de petits gémissements.

La tempête éclata au milieu de la nuit. Dans le pays on n'avait jamais vu cela !

Des arbres centenaires furent arrachés comme fétus de paille, le toit du château du vieux lord s'envola d'un coup, les eaux de l'océan en furie vinrent s'abattre comme des démons noirs sur les roches

du littoral... Durant deux jours, personne
ne put sortir. Il ne restait aux hommes
qu'à recommander leur pauvre âme au
Père Eternel, maître des éléments !

Et puis d'un coup, la tempête cessa.
Hagards, rendus à demi-sourds par les
hurlements du vent, les hommes sortirent
peu à peu de leurs chaumières et se remi-
rent à vivre.

Peggy passa sa journée à ramasser les branches mortes, à remettre en place les pierres sèches des murets, à donner à manger aux bêtes affamées. Le soir elle était très fatiguée et se coucha de bonne heure.

Elle allait sombrer dans le sommeil, lorsque...

Oui, c'était bien cela ; elle ne rêvait pas. Dans sa tête elle entendait distinctement la voix de Fénimore.

— Fénimore, pensa-t-elle... Que vous arrive-t-il... C'est la première fois que vous vous servez ainsi de la télépathie !

– Peggy... Je suis tellement heureux d'avoir réussi à te joindre. C'était horriblement difficile.

– Que se passe-t-il ?

– Oh ! Peggy, si tu savais... La tempête à été tellement violente qu'elle a fait s'écrouler le seuil rocheux qui me séparait de l'océan. Je suis libre, Peggy... libre ! Je

voulais juste de dire adieu avant de regagner mon domaine...

Il sembla à Peggy qu'une main glacée venait de se poser sur son cœur.

– Ainsi, vous allez partir, Fénimore... Jamais nous ne nous reverrons !

– Jamais, cela n'existe pas, petite Peggy.

– Au printemps, lorsque je retrouverai mon loch, il n'y aura plus que les hirondelles, les libellules et les papillons. Vous ne serez plus là !

– Peggy, je ne t'oublierai pas. Mais il faut que je retourne avec les miens !

– Je comprends, Fénimore. Je comprends bien... Je suis un tout petit peu triste... C'est tout !

– Peggy, je t'aime bien. Je t'ai laissé un petit souvenir à côté de la pierre grise... Il faudra que tu ailles le chercher dès demain matin.

– Merci, Fénimore. Moi je n'ai rien à vous donner !

– Tu m'as donné ton amitié, Peggy Mac Lane... C'est le plus beau cadeau que tu pouvais me faire.

– Quand vous serez dans vos grandes prairies de laminaires, du côté de Tristan de Acunha, pensez à moi de temps en temps, Fénimore !

– Je te le promets, Peggy. Il faut que je te quitte maintenant, car à aussi grande distance, la télépathie est épuisante pour moi et j'ai besoin de mes forces. Je me suis tellement ankylosé durant des siècles ! Au revoir, Amie Peggy !

— Au revoir Cher Fénimore, bonne
chance !

Voilà. C'était fini et, malgré sa fatigue,
Peggy Mac Lane ne dormit guère, cette
nuit-là.

Le lendemain, dès qu'il fit jour, elle se précipita vers le Loch. La tempête avait été si violente qu'elle avait balayé la neige et que les chemins étaient presque dégagés. Le Loch était ce matin-là d'une couleur étrange qu'elle ne lui avait jamais vu, comme s'il avait voulu réunir en un seul jour, le gris-rose du printemps, le bleu-vert de l'été, le roux de l'automne et le violet sombre de l'hiver... Là-bas, le chenal qui menait à la haute mer ne semblait pas différent : les transformations s'étaient passées dans les profondeurs. Peggy se hâta vers sa pierre.

– Oh ! dit-elle. Oh ! Fénimore, merci !

A côté de la pierre, Fénimore avait posé une des splendides écailles qui ornaient sa tête... Elle était grande comme deux feuilles de chou, au moins, et faite d'une étrange matière irisée, transparente, qui ressemblait à de la nacre, mais qui n'en était pas.

Peggy cacha son trésor sous un amas de roches, où personne n'irait le chercher.

Elle ne s'attarda pas à regarder le Loch. Plus tard elle renouerait avec lui, avec les truites et les nénuphars, les roseaux et les canards. Pour l'instant, c'était trop tôt... Il fallait laisser Fénimore s'éloigner vers le plus loin de la mer !

Peggy eut l'impression d'avoir grandi de plusieurs années cette nuit-là. Ce n'était pas désagréable, étrange tout au plus.

Elle imagina l'immense corps de Fénimore enfin retourné à son élément naturel et se déployant comme une algue d'argent, libre ! tellement libre !

« Plus tard, pensa Peggy, je serai marin... J'irai là-bas, dans le Sud... Nous nous reverrons, Fénimore. »

Puis, elle rentra à la maison.

BIOGRAPHIES

L'arrière-grand-père d'**Yvon Mauffret** était capitaine de marine marchande, son grand-père était capitaine de marine marchande et son père était capitaine de marine marchande. Né en Bretagne, à Lorient, le 24 décembre 1927, Yvon Mauffret a lui aussi beaucoup voyagé et parcouru presque toutes les mers du Monde. Il a quand même mis pied à terre, pour passer plusieurs années à Paris, y rencontrer les gens les plus extraordinaires et même y publier son premier livre pour enfants, vers la fin des années cinquante. Depuis ce temps, s'il vit toujours de sa plume, Yvon Mauffret a quitté Paris pour retrouver, avec ses deux fils, le pays de ses pères.

Anne Romby est née le 24 juin 1959 dans un petit village de Picardie. Elle vit aujourd'hui à Strasbourg, à la suite des études d'Arts décoratifs qu'elle y a faites. Anne Romby a deux grandes passions : les pommes vertes et la gravure. Elle consacre à la seconde beaucoup de talent, d'adresse et d'ingéniosité. *Fénimore* est ainsi né du travail de l'acide et de la pointe sèche sur une plaque de cuivre.